四十一

一九六六年，我五十八歲。文化大革命開始了，人們當時真是莫名其妙，即使是老革命，也是碰到新問題而不知所措。接着緊鑼密鼓，畫院造反派中兩派鏖戰方酣，我們處在『颱風』的中心，四面狂飈，而我們却尚未觸動，在夾縫中猶有安閑。我在家加緊作畫，畫成毛主席詩意畫二十四圖，裝成兩卷。並於閑中將往時所題畫詩文，集抄成册。爲之序曰：

『予自髫齔，未知讀書，即好塗鴉。書墻涴壁，狼藉畫圖。初無親故誘掖之助，而有章侯外家之奇。稍長意誌益堅，而鄉爾小邑，無丹青名宿、收藏世家、可資以進業者。年十八，蘇州王勝之丈移寓南翔，因與相識，又因丈介，獲從武進馮超然先

生遊。丈謂予曰，使子如石谷，則超翁可無愧於廉州，而予其爲煙客乎。予遂慨然思自振起，以上踵前賢之遺躅。每見一圖，形諸夢寐，心摹手追，寢食俱廢。間亦務爲遊覽，窮歷山川高下，此其誌固已不在明清間矣。既探六法奥旨，透網之鱗，孑焉自奮。比來政四十年，前後作畫無慮數百千幅。又好綴小詩短文，每盤礴初就，興到點筆，隨意數行，以攄寫性靈，叙述緣起，前後亦無慮數百千條。顧不自愛惜，隨手散落，未嘗録副。歲壬寅，兒子亨始就篋笥所存，或圖亡而題稿偶在，或借諸他處，或一圖甫畢，有所跋語，隨即録出，積日得若干條。今諸圖跡，已等雲煙，而是編也，每一翻閱，則南塘晏起，不無秋江之想。因重抄一過，以自省覽。追念去日，立足未正，耽

情閑逸，悔疚實多。存其謬誤，亦以自警。』這篇序也可略見我的學畫過程。

四十二

一九六七年以後，日子就不那麼好過了，畫院的造反派在我的出身問題上，大做文章，我被打成地主分子，是專政的對象，這種毫無根據、莫須有的罪名，使我精神、肉體多受折磨。畫筆被繳械收去，更不要説鋪紙作畫了。但我不能忘記國畫事業，活一天，我要畫一天。我用拾得來的破筆，蘸了清水在桌面上勾劃，練習基本功，使之不致荒廢。因爲用清水乾後桌面上無痕跡，如用墨寫，查出來就是天大的罪行。那時，我早

上出門，不知晚上何時到家。在這種日子裏，我的愛人朱燕因，給予莫大的安慰和力量。我和妻子，加上岳母、兒子陸亨、小女陸音（此時兒女尚未工作）一家五口，靠我每月六十元的生活費過活，至是每月減至五十元。二十多年來，她就是靠這點錢，支撑門户，東西補綴，渡過這漫長的艱難歲月，而從無怨言。每在窮窘，典質衣物，也從不告訴我，以免傷我的心。我受批鬥後，拖着疲憊的步子捱到家門，她總强爲言笑，來安慰我，使我增加活下去的勇氣。這樣渡過十個寒暑，真是一言難盡。有一次，造反派硬説我是什麼逃亡地主，我堅決不承認。畫院裏一名最著名的造反派專門單獨審問我，一連好幾日，疲勞轟炸，百般威嚇，用盡逼供信的伎倆，我還是堅決不承認，最

後他火了，一拳打在我腦門上，這種拳打脚踢，是家常便飯，但這一拳打得我眼睛發黑，天旋地轉。差點昏死過去。事後我萌發輕生的念頭，預備前往澱山湖，自投清流。後在車子上想到自己決不能這樣不明不白地死去，所以終於没有走上這條絶路。回來之後這個造反派還責問我爲什麼不去死，看來他不逼死我，是不甘心的。批鬥我時我堅持説自己家中幾口人的生活決不是靠這幾畝田的田租來維持的。抗戰期間我逃難到重慶，當一名小職員，根本没有收過一粒租米，抗戰勝利回來後，我是靠賣畫來作爲我的主要生活來源的，所以我根本不是地主。這樣就觸怒了他們，開大會批判我，當場給我戴上没有改造好的地主分子的帽子。在寒冬臘月，要我到河灘邊，在

一條跳板上敲冰擔水，板窄冰滑，隨時有跌下河的危險，而且我是有氣喘病的，時常發病，他們當然是不管我死活的。但這樣做不能壓服我，相反更使我堅定了要活下去的決心。

四十三

文化大革命後期，我摘去了『没有改造好的地主分子』帽子，但還是拖着一根尾巴：敵我矛盾當人民内部矛盾處理。這樣據説矛盾可以『緩和』了，畫院也允許我參加到新安江下生活的行列。同行有陳佩秋、孫祖勃、張守成、朱梅村等人，副院長湯增桐領隊。到了杭州，浙江美院派我的學生姚耕雲隨同出發，他對浙江熟悉，俾多照料。我們先至富陽，參觀發電

六十年代畫永州八記之二

站，登嚴子陵釣臺；又至蘆茨參觀。旋至桐廬，登桐君山，上溯至建德，登烏龍山，乃至白沙，參觀新安江發電站大壩，換船去淳安。此時在五月中旬，適值黃梅季節，淳安連日大雨，後我建議乘船由新安江上溯至安徽歙縣屬街口鎮，再由原船回至淳安。臨窗眺望，新安江兩岸，群山奔赴，連續數百里不斷，雲氣流轉，時開時閉，瞬息萬變，蔚爲奇觀。得飫覽雲山之美，令人不能忘懷。歸後我發展了留白法，蜿蜒曲折，因勢繚繞，創爲新面目。後來在井岡山，見雲山綿邈、長林如帶，飛瀑四垂，清氣流轉，結合在新安江水庫所見雨景、歙縣寫生所見白光，互相補充，於留白法，益臻完善。此種留出之白條條，既可表現爲光、爲氣，亦可表現爲水流、爲雲走，畫面上似不可少此一物，覽者自能辨之。

四十四

我自解放以後，遷來上海，住在復興中路馬當路口一幢石庫門房子裏，只有一間前厢房，約二十五平方米，前後一隔爲二，一家三代七口人，前半間爲我卧室和畫室，後半間没有窗户，暗然無光，是我岳母及孩子們的卧室。日間一切活動都在這十二個平方米的前半間内進行。一床之外，放下一隻寫字臺，這隻寫字臺，既是畫桌，又作飯桌，其他如揀菜、縫衣，以及孩子做功課等，穿插互用，都在這桌子上面。窗子正對大門，來人一進大門，一目了然。客人來了，環立四周，無處就坐。他們不去，我也不能遂此停止工作，所以養成了當衆揮毫的習慣。我不打草稿，一支筆畫到底，中間不换筆，墨也很省，畫完後筆洗内水還是清清的。我的繪畫工具簡單，畫碟筆硯，皆極粗陋，與此環境十分調和。面東一排窗子，天井靠南是高墻。夏季滿室太陽，無移案處；一到冬天，太陽從不光顧，室内比室外還冷。上面没有天幔，樓上擦地板，下面下大雨。地板全壞，潮濕腐爛，半夜起來，總可捉到蜒蚰一、二十條，有時爬到枕上，冷冰冰的嚇人一跳。加之鼠患猖獗，終夜不寧；跳蚤肆虐，爬搔爲苦。在這種環境裏，我前後住了整整三十年；在這張桌子上，我創作了千數的作品。來人都說我居住的條件太差，我總說『比上不足，比下有餘』，我認爲只要把思想集中在創作上，一心搞好國畫事業，其他都可以不在乎，也就忘其爲差了。我生活簡單，對衣食住行要求不高，隨遇而安，從不計較，覺得不值得在這方面化多大的心力。

四十五

自四凶當道，是非顛倒，功罪不分，廣大人民不知何以爲生，以至國將不國，元氣大傷。賴中央領導，當機立斷，一九七六年一舉粉碎四人幫，陰霾盡掃，白日重光，開始撥亂反正，前途重現光明。

一九七八年，我七十歲，畫院宣布我當時是錯劃爲右派，恢復原每月八十元的津貼費。一九七九年一月，經過復查得出結論：『關於在土改時定爲地主成份、不接受改造等問題，現經查明，已予否定，當時以此給予戴上地主分子帽子的處理決定是錯誤的。爲此經報請徐匯區革命委員會批准，撤消原徐匯區革命委員會清隊審批辦公室一九六九年十一月三日給陸儼少同志戴上地主分子帽子的決定。』不過又拖了三年多，至一九八二年十月纔遲遲在畫院一次大會上當衆宣布給我徹底平反，恢復名譽。

四十六

四人幫既經粉碎，一九七七年五月我到井岡山寫生。於此知道了當年革命鬥爭之堅貞激烈，而瞻顧遺跡，懷念先烈，徘徊不能去。那時趙丹同志因排演新電影，到井岡山下生活，和我相識。他作畫勁頭很大，可以説天天在我房内，用我筆硯作畫。他説將來老了，戲演不動，就要專門作畫，我也以有此畫友而引爲高興。後來回到上海，他總惦記這段因緣，時常提起我。他身體强健，詎料忽患癌症，遽致不治，言之痛悼。

井岡山當時正在南山頂上籌建革命紀念館，需要幾幅大型佈置畫，要我執筆。於是向上海畫院調來郁文華等二人協助工作。我在井岡山住了三個月，於九月初回到南昌，準備上廬山，而此時上海有人造謡言，説我『再不回來，要出事情了』。我奉公守法，坦然處之，但家裏人心有餘悸，打來電報，長途電話，説廬山决不能上，催我速回。我於是回到上海，所謂謡言，

毫無根據，不攻自破。其時北京邀請一批上海畫家前去創作，據説名單上有我名字，上海方面説我在井岡山，不在上海，遂由別人頂了我的缺前去北京。於此我深深體會到某些關係的琭雜。一九七八年二月北京外交部再次邀請上海畫家前去作畫，謝稚柳、唐雲、陳佩秋和我四人應邀前往。我們在外交部畫些駐外使館的佈置畫。一個月後，任務完畢，他們三人回上海，北京要我一人到文化部國畫創作組繼續作畫，住在友誼賓館。不到一個星期，上海打電報來，説有緊急任務，要我速回上海。文化部感到奇怪，一方面與上海聯繫，一方面要我繼續作畫。我於是一直到五月中方纔回來。其實，上海並没有什麽事。在北京我受到領導的關懷，除愉快地工作之外，還遊頤

和園、上長城、參觀十三陵地下宮殿，徧覽故宮名勝古跡，也認識了北京書畫界人士，得到切磋之益。並去中央美術學院講課示範，因我不同於中央美術學院的一般山水畫法，繪畫風格新穎，受到了歡迎。

四十七

一九七八年我把名山圖十六幅，裱成卷子之後，託宋文治帶至南京，請林散之、高二適兩先生題字。高二適先生看到我的卷子，大爲賞識，並說我畫上小跋，高潔雋永，一定對《水經注》頗有研究。實際我對《水經注》只是粗粗地翻過一翻，哪裏說得上頗有研究，這是高先生鼓勵我。從此我和高先生雖

未謀面，而神交在懷，書信互通。一九七九年春節前，高先生吟成《人日感懷》詩二首，要我寫意成圖，圖未成而高先生突然逝世，後高先生的女兒高可可寫信給我，說他父親彌留之際，呼我名字，至死不忘。因此要我補作此圖，以竟父親之誌。我感念存殁，其何能辭。遂畫成高先生吟詩之圖長卷。我未嘗拜謁過高先生，親其音容笑貌，高可可寄給照片一幀，我依樣畫在上面，識者都說極像。難道我和高先生夙世有緣，遂致精誠相通，有如此者。此次在南京，我特地去看望高夫人，並和高可可相識。

這次在南京我瀏覽了燕子磯、莫愁湖。又到梅園新村，瞻仰周總理故居，緬懷在白色恐怖中，周總理堅持真理，和國民

黨相周旋，取得一連串勝利的豐功偉績。我爲故宮畫了一幅四尺整張梅花，並題句：

勛業蓋天地，哀思動歲時；
年年寒蕊發，長與萬方期。

四十八

一九七九年，我七十一歲。四月底，我回上海。五月中領導讓我參加上海書法訪日代表團訪問日本。團長沈柔堅，團員顧廷龍、謝稚柳、胡問遂、方去疾、葉露淵和我六人。上海和日本大阪市結成友好城市，前此日本大阪書法代表團訪問過上海，爲了互訪，我們去日本。我們一行乘飛機由上海出發，先至東京，繼乘中干綫快速火車去大阪。大阪書法界舉行盛大歡迎會、座談會、以及書法交流會等與我們進行交流。日本書道有廣泛的社會基礎，學習書法的多達幾千萬人。在大阪以村上三島和梅舒適二人爲宗師。村上三島書法宗王覺斯，功力深厚。梅舒適工篆書，並善金石篆刻。我們到他們家中，觀覽其所收藏金石書畫。旋至京都、奈良，參觀皇宮和寺院；又至東京、横濱，得觀現代化工業城市的面貌；最後至箱根，遊覽名勝，遥望富士山，時隱時現。此行前後爲時兩星期，所至之處，無不秩序井然，整潔乾净。日本在四十年中，以一個殘破的戰敗國，一躍而爲當今世界上經濟大國，其中有許多足爲我人學習之處。

四十九

由於開放政策和旅遊事業的發展，外賓來者日多，常到各地文物商店選購中國畫；中國代表團到國外，亦多攜帶國畫用作禮品；國内大建築、大飯店，也需要大型佈置畫，以壯觀瞻，於是國畫家的任務多了，國畫創作也日趨旺盛起來。我在此時爲人民大會堂上海廳創作雁蕩山大幅佈置畫；又爲上海虹橋飛機場候機室創作『大好山河』大型佈置畫，此畫高約三米，闊七米，這是我生平最大的一幅創作；還爲上海科技會堂、北京民航局等處創作了不少佈置畫。

七月中我到廣西柳州，爲柳州飯店畫佈置畫，遊覽了柳侯祠，以及近治諸山洞壑，如都樂洞、龍潭等處，回憶舊時讀柳宗元的文章，心愛之，至是益想見其爲人，爲之欽慕不置。

久耳桂林山水名，歸途得一賞覽，於城中暢遊七星巖、蘆笛巖、象鼻山、疊彩山等諸勝，洞壑之奇，海内第一。放舟灕江之上，平波如鏡，水清見底，兩岸群峰矗立，無所依傍，各自挺立，千山一貌，上聳雲霄，洵爲奇觀。沿流至陽朔，所謂桂林山水甲天下，陽朔山水甲桂林者，誠不爲虚譽矣。

八月初，我和燕因偕同劉旦宅、王微鄰夫婦去北戴河。我們乘飛機先至北京，天津市委書記李研吾，與我有舊，到機場來接，當日即至天津。我們參觀了楊柳青年畫工場以及泥塑工廠，不三日，即去北戴河，住工人療養院。北戴河濱臨大海，涼氣自海上來，雖在三伏，而似深秋，誠避暑之勝地。傍晚或清晨，小立海濱，緩步沙灘，驚濤拍岸，流沫濺履。有名鴿子巖者，乃傍海小山，石角峻嶒，其巔一亭翼然，危欄四匝，遥望大海，一片汪洋，罡飈驟起，捲人欲墮。其山多黑松，亦因風故，枝皆内偃，爲北戴河勝景。東至山海關，城垣周繚，外盡於海，關隘險峻，一門纔通，榜曰『天下第一關』，字迹雄健。又有孟姜女廟，廟踞一石堆上，古時當系海中小島，滄桑變易，今在陸地，拾級百步，至廟門，内塑孟姜女像，殊粗陋，廟後大石，題曰梳妝臺，此皆後人附會而成，無足觀者。在北戴河，少人事干擾，可以安心作畫，不久北京美協組織畫家吴作人、李苦禪、肖淑芳、阿老等人也來此，雖不同住一處，而相距不遠，時常來往，頗不寂寞。我和劉旦宅夫婦住至秋涼，乘火車回北京。

一九六二年嶺南寫生

抵京後，我至頤和園藻鑒堂國畫創作組小住，間亦住至我大兒陸京家中。他自解放前加參共青團，解放後，被派至北京，入外語學院專習俄文，畢業後在共青團對外聯絡部工作。一九五四年去蘇聯留學，回國後，仍在共青團工作。文化大革命中，去河南潢川五七幹校。打倒四人幫後，回至北京，轉在人民出版社專管馬列著作出版工作。他一自解放，即離家遠出，在文化大革命前，或陪同外賓來上海，偶乘餘暇，來家省視，不過一、二小時即去，除此之外，不常見面，我們父子接觸極少。文化大革命中，因我被冤栽爲地主分子，他亦被牽累，受盡磨難，我和他不通書信，音耗全無，直至文化大革命後，方纔得知情狀。一九七八年春，我因單身來京，未及去他家，他率同妻子方以清，以及一女名平，一兒名凡來臺基廠外交部看我。方以清在中學任教，文化大革命中，大串聯時來上海，匆匆一面。今其兒女皆已長大成人，首次見到我這個爺爺。

五十

一九七七年，我在國畫創作組，住友誼賓館，開始寫《山水畫芻議》，爲了不妨礙創作，每日晨起寫一、二條，積得若干條，一九七八年冬在藻鑒堂繼續撰寫，遂得脱稿，加入附圖，交上海人民美術出版社付印出版。在此書中，我總結了幾十年學畫心得體會，不欲拾人牙慧，抒發己見，自作體例。前部泛論，涉及學畫識辨、用筆用墨、經營位置、創新自運，以及入門徑路、各種應知常識等等。後部具體畫法，凡我不同於別人通常畫法，刻意自創，別具面目者，皆舉圖例說明之。還有附圖近百幅，最後附我近作數十幅。一九八〇年出書，在上海新華書店纔上架，不二日，一搶而空；杭州、北京也是如此。爲最近山水畫技法之暢銷書。邊隅各地的讀者因買不到書，寫信給我，要求代購，我也無法應付，只有轉至出版社處理。於是於一九八一年再版，加印二萬五千冊，不數月又告脫銷，可知近今青年學畫山水渴求技法書的迫切心情，一九八三年又第三次印刷四萬冊。

五十一

當四凶氣燄囂張時，我受到委屈，不能自明。因於一九七四年作圖題其上曰：『予先世本浙江桐廬人，高大父力田不能自存，行賈江南，遂著籍嘉定。丁丑違難，予自桐廬登舟，溯江向西。山川雲樹，恍如舊識，中心固已藏之。自解放來，往來浙東西，不一至江上，於桐廬也益愛之。而自愧背叛貧農階級，猿猜鶴怨，恐不復爲鄉中父老所愛矣。顧予於桐鄉之感情，日增月積，未嘗少替。桐鄉不能愛我，而我則愛桐鄉綦切，即橫遭阻力，其誌彌堅，誓不稍奪。清泉白石，實聞斯言。偶讀王臨川集，有「桐鄉豈愛我，我自愛桐鄉」之句，雖荊公指舒城而言，予用其意，則不啻爲予詠之也，而又豈桐鄉已哉。』實則我家遠祖在安公，當南宋時，在岳飛幕下，飛被害，歸隱南翔。南翔當地有諺曰：『先有陸家廳，後在南翔鎮。』故予世爲嘉定人。而在此時，不敢明言之，因假託先世桐廬人，高大父行賈江南，著籍嘉定云云，以證實王安石桐鄉詩句。此圖曾收入《山水畫芻議》中，恐後世不察，聊記於此。

自古畫家大都自起齋名，以表達他在這一時期的思想面貌。我在此半個世紀以來，也自己起了好幾個齋名。第一個是『萬安草堂，』因爲這時我住在南翔南市老宅，屋後百步有一古寺名『萬安寺』。屋南二百步有一拱形石橋，名萬安橋而得名。而且這個齋名，也是王同愈先生幫我起的。希望此生無灾無難，萬事安吉之意。第二個齋名爲『骫骳樓』，我自覺爲人戇直，少婉轉圓美的習性，以致時常碰壁。涵義屈曲，我警戒自己做人不要太直，要圓轉些，是佩韋佩絃的意思。第三個齋名是『穆如館』，是取漢書楚元王傳穆生所説『醴酒不設，可以行矣』的含義，我佩服穆生見機而行，而我自己就是一生不見機，弄得頭破血流，警戒自己也要象穆生那樣見機行事。第四個齋名是『就新居』，有兩層意思：第一層意思是對新事物、新思想不能坐等他來靠攏我，必須我主動去靠攏它，來改造自己；第二層意思是擷取韓昌黎『趨營悼前猛，斂退就新儒』詩句的意思，警戒自己不要名利心太重，衝在前面，要退後一步，凡事謙讓的意思。第五個齋名『自愛廬』我深知解放後黨給我第二次藝術生命，因而深深感謝黨，但在十年文革中，四人幫横行，我被當爲階級敵人看待，横被摧殘，即使是這樣，我還是堅信共産黨，還是熱愛黨，始終不渝。爲了表明心跡，我借用了王安石詩句：『桐鄉豈愛我，我自愛桐鄉』，不敢明言之，還自誑稱先世桐廬人，以證實桐鄉詩句。第六個齋名是打倒四人幫後取的，叫『晚晴軒』，取李商隱『天意憐幽草，人間重晚晴』的詩意。自打倒四人幫後，撥亂反正，於我晚歲，重見太平，心情舒暢，好比雨止天晴，可以享受愉快安樂的生活了，引爲慶幸。

五十二

我在北京，纔及一月，因浙江美術學院招收山水畫研究

生，延我爲主導老師。任務在身，遂遄至杭州。研究生共五人，爲期二年畢業。浙江美術學院爲全國重點學校之一，一向注重國畫，自潘天壽、黄賓虹以來，有一個良好的傳統。自從這兩位先生亡故後，國畫系老先生已没有幾位，十分凋零，亟需補充。而我在此三十多年來，不習慣於上海的環境，尤其空氣污濁，生活其間，頗覺氣悶，深感不能適應。我有氣喘病，更需要新鮮的空氣。自到杭州，有湖山之美，空氣新鮮，學校中有敬老之風，處世酬應，可以少動腦筋，對我有利。此時我之爲研究生主導老師，乃是兼職，組織關係，還在上海畫院。浙江美術學院領導表示歡迎我調來，我也想把組織關係調過去，但是上海方面堅決不放。後因我在上海畫院，是一名編外人

員，只拿津貼，不拿工資，這樣上海没有理由留我，但我在畫院仍挂兼職畫師的名義，和上海保持些關係。在杭州我被正式任命爲浙江美術學院教授。

杭州夏季悶熱，春秋兩季，氣候宜人，園林處處，花香鳥語，致足怡情。記在六二、六三年間，我在浙美兼課，上午上課，下午無事，帶幾本書至虎跑或石屋洞等處，香茗一杯，以消永晝，得清閑之趣。今則遊人雜沓，到處喧囂，非復往時。

五十三

一九八〇年我七十二歲。夏天，我和燕因以及劉旦宅夫婦去廬山，會學生萬青另自北京來，遂亦同行。乘長江輪循江

陸儼少先生攝於上海馬當路舊居

西上，中經南京、安慶，以達九江。我在南昌的學生傅周海夫婦來輪埠迎接，住南湖飯店。翌晨循廬山山麓行，至海會，仰眺五老峰，巍然高峙，上及雲際。繼至秀峰，看香爐峰瀑布，自高崖直下數百尺，李白詩句『疑是銀河落九天』者，依稀見之。瀑水下匯於潭，清澈見底，餘波淪漣，於石罅中溢出。遊人甚衆，或浴於潭，或赤足嬉水，少年人興趣不淺。旋至白鹿洞書院，堂宇寬敞，猶可想見當年士子四方來集，講學之盛。大門前一澗圍抱，上多古木，涼蔭滿地，遂忘炎暑。最後至東林寺，少時讀虎溪三笑故事，今至其處，緬想晉賢高風。徘徊久之。寺幾經興廢，規模不大，已非舊制。聞經十年浩劫，佛像破壞無遺，於今重塑，寒傖可憐，和尚數輩，在賣香燭茶水。一塔尚

存，猶見古制。翌日至湖口，登石鐘山，亭榭新修，丹碧爛然，遥望江流，與鄱陽湖水匯流處，清濁判然。少讀蘇東坡石鐘山記，扁舟夜泊其下，鞺鞳之聲，猶似樂作，而知石鐘之名所從來，一掃愚妄猜測，亦知事必躬親而後可知其究竟。繼驅車前行，至柴桑，遊龍宫洞，洞極深廣，首尾十餘里，而中間爲堂者三，皆可容千人。導者言此洞之大，爲海内第一，惜少鐘乳，不若桂林蘆笛巖之富麗堂皇，琳琅滿目，令人有身入僊境之感。

休息一天，繼續出遊，登山公路屈曲盤旋，不勞跬步，而至其巔。當年公路未通，遊人自好漢坡上，洵非好漢，不能登山。傅周海任職南昌工藝美術研究所，先來安排宿舍，否則在今旺季，遊人麕集，一榻爲難，我和旦宅兩家，合住一幢小院，緑樹

四周，繁陰蒙密，仰不見天日。本擬來廬山避暑，過一夏天，安心作畫，可少干擾，而今室内光綫殊暗，又伙食不慣，似難久住。出遊含鄱口、植物園，龍首巖、三寶樹、僊人洞、人工湖、花徑、綿繡谷等處，廬山開發時早，名震宇内，騷人墨客，詩篇遊記，在人耳目間，尤以交通方便，舟車易至，其得盛譽，固非偶然。實則雲山奇麗，風景之佳，遜黄山、雁蕩遠矣。暢遊歸來，中途經小孤山，陡削奇秀，特立江中，惜不能一登臨之，陸放翁《老學庵筆記》記其地甚詳。

回到上海，萬青屴住我家凡一閲月，每與閑談，因得知我的身世，以及學畫本末。青屴好學，學問不輟，撰文作畫，每至夜分。彼欲爲我作傳記，謂近尚有不相知聞者，用以告之。他後於一九八〇年冬中央美術學院校刊《美術研究》上撰登《陸儼少的藝術》一文，詳記我的經歷，以及藝術觀點、創新面目等等，述及面頗廣，稱道亦至，我既心感其意，然亦自慚，盛譽之下，倘不能至，乃是一種鞭策，當勉力自慚，盛譽之下，倘不能至，乃是一種鞭策，當勉力以求。他後又撰文於香港出版的《美術家》雜誌，雖内容相近，然從另一角度論述我的繪畫藝術。他説以俟他年，積聚資料，當成一本專論我的著作，俾後世有所考覽。正因他人的揄揚，妄竊時譽，我應有自知之明，努力學問，庶不爲識者所齒冷。

六十年代末爲徐伯清先生作

五十四

盛暑已過，倏又秋涼，我到杭州，其時調動工作事，雖經周折，顧已衝破阻礙，得告如願。學院配給新建套房兩間，與姚耕雲對門，共一樓面。我時不在，可得照顧，我感謝院領導爲我安排得周密妥當。我每星期一到研究處，看他們的創作，以及詢問學習情況。他們的教室在四樓上面，我有氣喘病，中間必須歇息幾次，學員們知道情況，所以除去星期一我到教室外，其他時間，他們常到我家。好在同在學校範圍之內，極爲近便。

我爲研究生講述氣韵、南北宗等問題。歷來對『氣韵生動』，解説不一。我認爲首先要把概念搞清楚，即何者爲氣韵。

中國畫主張在似與不似之間，所以一幅畫包括兩個部份：一個是具象部份，即所謂『似』，攝取形象，令觀者看懂描寫者爲何物；另外一個是抽象部份，即除去具象部份以外，其它一切，都包括在抽象部份的範圍之內。即所謂『氣韵』是一幅作品完成後的整體效果，氣韵包括氣息、氣質、品格、韵致、氣勢等等。以上種種，首先要生動，即要有生氣，以及靈動的感覺。中國畫應和書法一樣，點劃要能獨立存在，畫上一點一劃，除了爲形象服務之外，要有獨立存在的價值。氣韵之高下，大部份是通過點劃顯現出來的。點劃用筆必須活，如書法講求一波三折，以及龍飛鳳舞、高空墜石、渴驥奔泉等等，簡言之，也不外一個活字，都是要達到生動的境界。所以不僅僅其中氣勢要有動感，即如韵味、品格、氣質等等，也無不要有生命力。有生而後有動，有動而後不呆板，而後有高格調、好韵味。所以不是先有氣韵而後生動，而是先生動而後氣韵出焉。所以有人認爲有了氣韵，再論生動與否，這樣本末倒置是錯誤的。實則天下没有不生動的氣韵，有了氣韵，一定生動；生動的對面是死板，既是死板，那裏還有高格調、好韵味？更説不上有氣勢了。我一向主張畫要有動勢或流動感，也即要有生氣，這樣開創了一個面目。即使如以前論畫，主張貴有静味。但我們知道静不是死，静和動是内涵和外拓的兩個方面，都要有生機，死了也就一切就完了。

再有南北宗的問題，歷來也是糾纏不清。董其昌倡爲是說，有其宗旨，但中間摻雜他個人愛好，以致概念不明確，他自己也不能自圓其說。我認爲把畫法分爲兩大派系，有其方便之處。其一披麻畫法，表現土山，即董其昌所說之南宗常用之；其一爲斧劈畫法，表現石山，即董其昌所說之北宗常用之。斧劈用側鋒，勾斫之中有挑的筆意。披麻用中鋒，排比而直下，兩者方法各異，界限清楚。我們回顧一下中國山水畫史，唐代而下，以至北宋而畫法大備。其時荆關畫法，餘波猶勁，而董巨崛起，有取代之勢，及至江貫道已成强弩之末，於是劉、李、馬、夏，一統南宋畫壇，變披麻畫法而爲斧劈畫法。及其末流，筆過傷韵，於是趙松雪主張復古，即復北宋董巨披麻畫法。黄、王、倪、吴是元四大家，其中倪瓚舊説出自荆關，我認爲他的皴法，下筆中鋒，而落筆是側鋒，但無勾斫上挑的筆意，尤其早年純學董源，所以還是一家眷屬。下至明初，浙派興起，遠紹南宋畫法，下及仇、唐，皆用斧劈。即如文、沈，其皴法亦有斧劈上挑之意，但不甚明顯，故皆可攔入北宗的範圍之内。及其末流，乾巴枯瘠，無有餘味。於是董其昌倡爲南宗之論，實即恢復元代董巨披麻畫法，四王惲吴，翕然宗之，即四畫僧亦受其影響。一千年來，其間消長過程，大致可見。當今國畫中興，山水畫必有高潮之到來，以致超越前人。所以不必斤斤於南北宗之論，而受其限制。土山石山，皆在表現對象範圍之内，盡可因對象之不同，以斧劈披麻，加減穿插互用之。

陸儼少先生六十歲左右時攝

五十五

一九七九年春，榮寶齋王大山寫信給我，説榮寶齋推薦我去香港辦個展，要我早作準備。到一九八〇年秋，已積得畫八十幅，全部裱好。先在上海畫院大廳展出，因場地窄小，共掛四十幅，而匆促之間，少作準備，不及發請帖，又爲期只有四天，也來不及作報導宣傳。但來觀者絡繹不絶，室爲之滿。畫院每隔若干日，舉行個别畫師作品展覽，他們都説我之畫展盛况空前，也得到普遍好評。因我在上海，從未舉行個展，雖在各次展覽有零星一幅、兩幅展出，從未見有集中數十幅者。加之二十餘年沉淪，剥奪了與群衆見面的機會，稀見爲貴，此其故也。

上海展後，畫幅全部帶至杭州，於浙江美術學院展覽館展出。在展出期間，舉行座談，亦以好評居多，此皆同志對我的鞭策和鼓勵。浙江軍區一位解放軍同志知道我將去香港舉行個展，撰文交人民廣播電臺，向臺灣廣播，説明大陸對老知識分子的重視。杭州個展結束，即裝箱運至北京。到了北京之後，葉淺予先生知道了，歡迎我在中央美術學院展覽館展出。事後倉猝，我一點没有準備，也不及印請柬，草草展出，好在中央美術學院展覽館在王府井大街，地處鬧市，故來觀者甚多，也產生了一定的影響。因和學校相近，中央美院學生有帶筆硯來臨摹者，聞有接連來看十餘次者，各雜誌社有來照相者，以後有些雜誌發表我的作品，大都取材於此。

其年九月下旬，榮寶齋舉行成立三十周年紀念活動，我有請帖見邀，因和燕因前往。舉行紀念儀式的一天，盛况空前，港澳同胞，來賀者不少，其中賴恬昌先生，他是香港中文大學校外進修部主任，解放初期他在上海友誼商店買過我畫的一部花卉册頁，草草墨戲，蒙其選中買去。他初未耳我名，而十分喜愛此册。他著有英文版《畫法要論》，竟將我畫印入書中作附圖，並把書寄給我。從此相知，但不過神交百已，至此一見如故，互道欽仰之懷。

北京故宫博物院例於國慶節陳列宋、元名跡，我知聞已久，此心馳念，而無緣得見。這次來京，適值國慶，機會難得，遂即往觀，得飽眼福。陳列中我所心愛而可資學習者計有顧閎中《韓熙載夜宴圖》、韓滉《五牛圖》、張擇端《清明上河圖》、趙伯驌《萬松金闕圖》、李唐《採薇圖》以及元代錢舜舉《花卉卷》、王叔明《水墨山水册頁》、倪瓚《墨筆山水》軸、王繹《楊竹西像》等，此皆希見之物，只有解放之後，公諸人民，買張門票，得恣觀覽。

山水畫自乾嘉以後，趨入低潮，及至清末，無可觀者。只因宇內名跡，盡入內府，庶民無緣得見。又印刷術尚未昌明，學畫者僅能接觸木刻本，見地不廣，何能提高？初學作畫，得見名跡，揣摩其筆精墨妙，所見既高，手亦隨之。解放之後，國畫水平漸入高潮，其故之一端在真跡公諸於世，輔以印刷昌明，可下真跡半等，一編在室，朝夕摩挲，取法乎上，不致在下，

必然之理也。

是年即在北京過冬，藻鑒堂以及大兒陸京家，兩頭兼住。雖遠在郊區，東西相距數十里，而往來尚便。我不樂市塵，安於郊居，故有人不慣住頤和園藻鑒堂，住久有寂寞無聊之感。而我則反是，雖經月不踏城市，亦無所苦。此地山明水秀，甚饒野趣，臨窗作畫，可聞鳥語，工作生活於其間，自是享受清福，回至陸京家，孫女孫兒，皆已長大，得叙天倫，亦是人生一樂。

五十六

一九八一年三月，我回到杭州。去香港個展準備就緒，畫

一九八二年作

亦已交由榮寶齋運至香港。五月中，大兒陸京由京來杭陪伴我去香港。辦好護照，於杭州乘飛機直飛香港。

到達後，香港博雅公司經理王桂鴻以及張玲麟女士、莫一點先生等來機場迎接，住九龍美麗華飯店。三日後個展於香港富麗華飯店正式展出。裙屐咸至，花籃擁簇，可稱盛況。當即舉行記者招待會，闡述我來港情況，以及學畫經過、流派特點。會上記者們提出問題，互相交談。這次共展出八十幅畫，拍了小電影、電視。此後各報陸續報道我的個展情況，還有評價我畫的文章，前後共四十篇左右。我和撰寫者素不相識，都是他們主動執筆，揄揚我的藝術。大家都説這是幾年來大陸畫家到香港展出最成功的一次。他們分析來港畫展的成功與否，端在二者：其一能賣，其二影響大。而尤以後者最爲重要。因爲能賣，只要有後臺大老板，全部買下來，也屬容易。至於有影響，觀者説句好，那必須作品拿得出，深入人心，過後還有人談論提及，就不那麽容易。我在展覽會場上，有不少群衆看過之後，説我可惜不在香港，否則他們將從我學畫。而報紙發表文章説，這次畫展的成功是大陸上來開畫展前所未有的。我不善交際，到香港以後，既未請過客，也從未拜訪過一個人。當我未來香港之前，有許多朋友，出於好心，勸我不要去香港，説近幾年來到香港辦個展，極少有成功者，如果不成功，還是不開爲好。當時我想我已準備了這批畫，都已由榮寶齋收購，展出之後，賣與不賣，在經濟上與我無關；我也没有崇高的聲望，即使個展失敗，也無所謂。而乘此到香港一次，開開眼界，略領一斑，有何不可？但是香港生活狀况，我極不習慣。我每天來回於展覽會場與住宿旅館之間，夜間絶不出去，也没有逛過街和參觀所謂夜總會。香港人生活緊張，一刻無休暇，處處動腦筋，一切爲了錢，我極不適應。所以當兩個星期簽證期滿之後，有人勸我申請延期，再就一個時期，我謝絶他們的好意，到期之後，即回杭州。

我在香港期間，到中文大學藝術系參加過一次座談會，觀看了師生的作品，交流了意見和經驗。又到海洋公園去參觀，承黄蒙田先生、張玲麟女士等作陪，坐了纜車，登上高山，看了海底的豐富資源，以及海豹表演等等。

我的老友彭襲明，一九五〇去香港，相别三十餘年，他住在香港跑馬地，病足，不良於行，久不出門，所以我的展覽他不能前來觀看。此次來港，我特地去看他，他今年七十五歲，生平未曾娶妻，孤老頭獨自生活。他能畫，書亦美好，尤善書札，有文墨，在港以教授國畫爲生。多年不見，一見驚喜，互相擁抱，他盛宴請我，臨别還將巨然《秋山問道圖》巨幅復制品贈給我，我歸後裝裱成軸，見畫如見人也。又有萬一鵬先生，少予數歲，嘉定人，在港教授國畫山水，相見於數千里外，互話鄉情，倍感親切。

此次在港個展是有影響的，臺灣出版之《藝術家》雜誌，第十三卷第二期，載梅創基撰《香港展出陸儼少山水畫》一文，他說：

『近代山水畫，有人只主張繼承傳統，講求筆墨功夫和出處，又大多流於因襲，缺少面目和現代感。另外也有人主張創新，並提倡寫生之類的真實，因欠缺筆墨和學問修養，形成某種自然和社會現象的註解，變得淺薄乏味。陸氏的作品，正是在這兩者之間取得統一或協調，形成今天的自家面目，爲現代畫家别樹一幟。就作品先入爲主而言，他的風格很突出，一看就知道屬於他的。利用了面、綫、點的組織和安排，即畫面中的墨塊和空白，疏密不同的勾勒的陽綫，和留出的陰綫，造成了陰陽交替和黑白跳動，綫條同面的配搭，形成了强烈的流動感；趙無極的抽象作品中，似乎也有這種感覺。

陸氏的作品具有强烈的現代感，並不是借助於洋房之類的現代符號，而是如潘天壽作品一般的節奏鮮明，不同舊傳統平穩的垂直與莊重。在具體的表現手法上，局部使用濃厚的墨色，雲和流水用綫條勾勒，亦爲其他畫家極少採用。

他不主張對景物寫生，看一看就够了，而從臨摹入手。這證明吸收前人經驗爲主，體會和默記真實的河山，擴大胸襟和增進見識及豐富的表現手法，是足以證明其繪畫觀念仍然是傳統的。

他又自稱喜用硬筆作畫，樹的造型很拙，綫條的變化之中又有圓和厚的感覺。這固然是長期磨煉的結果，似乎用筆的方法上吸收了「金石派」的特點。用色方面，除了少數濃烈的點使畫面格外醒目之外，基本上是淡淡的冷暖交替，令主要的墨色更顯得明朗。

一位成功的畫家，其作品要生動和自然之外，也需要學問修養好，纔能精、深、廣、博，境界纔能高。再説陸儼少的作品，畫本身很生動，有氣勢，字和畫很配合，也很統一。從畫中的題詞内容來看，他的學問修養很好，這點足以考起許多現代畫家。』

我不認識梅創基先生，也不知道他爲何許人。他從臺灣隔海看來，想更清楚。以畫論畫，不摻雜人事因素，可以較爲正確。同時也叙述我的創作特點，可以補本文之未備，故特節録於此。

後來在黃山，遇到香港中文大學賴恬昌先生，以及他們同來遊覽黃山的幾位香港文藝界人士，都說我個展在港頗有影響，香港文藝界至今還在提起我。一九八一年冬，中國畫研究院成立之時，現在香港中文大學藝術系任教的臺灣畫家劉國松先生，應邀來北京，參加成立大會，他說香港青年畫家都買了我的畫册，在臨學我的畫。我在舉行個展時，經辦單位博雅公司爲我出版了一部《陸儼少畫集》在港發行，此畫册共收畫五十幅，一半有彩色，由李可染先生題簽，張仃先生作序，啓功先生題字，據説發行之後，影響很好。我帶回若干本，國内學畫者，看到之後，有託國外親友帶來者，也因之引起國外畫家的注意。

我在香港，聽人説我的畫在美國紐約等地拍賣行内拍賣，尤其我的早年之作，人所歡迎，價格較高。在六十年代以前，我的畫風較爲縝密娟秀，靈氣外露；七十年代以後，日趨渾厚老辣，風格一變。我早年筆墨流傳較少，自認早年筆未到沈着痛快境地，而反得世人賞識，難道是物以稀爲貴，得之爲難故耶？老杜云：『文章千古事，得失寸心知』，我自認近年筆力比前較爲雄健，一掃柔媚之習，然過此則流於獷悍。老年變法，釋回增美，當時時警惕。因爲所謂變法，不一定是變好，也有變壞之可能。所以學畫當先提高識見，識見既高，而後能在演進之間，時時救偏補敝，不致泛濫耳。茲再總結我的創作方法，有三個聯合體：

一、王原祁以至黃賓虹的構圖方法，都是由大到小，先定位置，擺正大輪廓，再逐漸勾搭，滃澹點染，以至完成。我一反此法，而是由小到大，筆筆生發，初無定稿，積小面而成大面。在創作過程中，每或思路斷絕，形勢扞格，山重水覆，終已無路，而轉折之間，柳暗花明，絕處逢生，又是一個新境界。這樣出奇制勝，可使章法靈活，免於雷同。但其難處在於審察形勢，照顧全局。譬如下棋，一子纔下，即要預想以後數子如何下法，方不致全盤皆輸，一敗塗地，不可收拾。

二、正因用此由小到大的方法，必須在用墨上不是由淡入濃，而是由濃入淡。隨濃隨淡，一氣呵成，可使口子生辣，精神頓起。但其難處，在於濃墨既下，不可更改，應濃應淡，要有把握，用墨不當，或失之黑氣層層，或失之虛弱無力，變成廢品。或筆墨空疏，形象單調，無融液映帶之致。總之何處宜濃墨，何處宜淡墨，要心中有數，然後循理成章，自然湊泊，得盡佳致。

三、也因用以上兩個方法，首先必須注意點綫，突出骨法用筆，做到每一根綫，每一個點，起訖清楚，都有交代。疏密提按，繁簡輕重，濃淡乾濕，極其變化。這樣可以使畫面起伏不平，有節奏感、韻律感。其難處要達到點綫的圓渾靈變，沉着痛快，筆力透紙，具有本身的欣賞價值，這不是一朝一夕所能做到的，首先心中要有高格調，再加上精熟功夫。不斷進行肌肉訓練，然後纔能經得起推敲。如果點綫惡俗，則格調難高，氣勢不生，韵味不至。所以要做到氣韵生動，其關鍵全在用筆用墨上。以上所論構圖、用墨、用筆三種方法，是一個有機的組成部分，合則兩利，廢一不可。

五十七

從香港回後，於七月去黃山。燕因、姚耕雲、亨兒、亶兒同行。我以前兩次上黃山：第一次在一九三四年，歙縣到黃山之間，公路未通，山中一片殘破，毫無建設；第二次在一九六四年，只到玉屏樓，一宿即循原路下山，未及到西海北海，一覘新建之北海賓館，引以爲憾。近年因肺氣腫痼疾，一動即喘，艱於登陟，山靈見拒，常謂此生已矣。最近得知黃山在特殊情

八十年代攝於南山路晚晴軒

况下，允許雇轎上山。遂有重登三上之願。

我出杭州出發，循杭徽公路經歙縣直抵黄山山下。再換車至雲谷寺，由此上山，盡是石級，行十五里至北海賓館。燕因等步行，我因體弱氣喘，乃雇轎上山。這是特殊情况，一路上行人注目，加之擡轎人氣喘如牛，汗流浹背，我雖是老年體弱，但總覺不是滋味。因之下山，我堅决不坐轎。下山不比上山，可以堅持，在山上住上十天之後，由亶兒攙扶，徒步走下。到達雲谷寺，兩脚酸痛，不能舉步，勉强到達，極爲狼狽。

一個山水畫家，必須深入名山大川，觀察大自然之精神面貌，擴展視野，增强感受，提高意境，豐富技巧。所謂『讀萬卷書，行萬里路』，兩者不可缺一。我少壯之時，在當時國畫界中，算比較多跑的人。解放不久，即遭政治挫折，二十多年沈淪，及至平反恢復，年已古稀，即欲登陟，腰脚不濟，望巖興嘆，徒喚奈何。我此次上黄山，即欲補上遊北海、西海一課。因第一次雖至獅子林，北海賓館尚未建造。西海排雲亭等處以無向導，漏而未去，故亟欲一往。在北海賓館住十天，大半在陰霾雲霧之中，偶露峰尖，亦迷濛纔辨，極少幾天，可見天日；然在霪雨之後，群山如沐，雲海展現，蔚爲壯觀，爲前二上所未見。又頹陽西傾，晚霞明滅，絢麗如畫，而且每日異樣，絶無相同，嘆爲觀止。此次上黄山，主要以補前之未到北海、西海之缺憾。故未再往玉屏樓，仍由後山下至雲谷寺，路經百丈巖瀑布，亦前所未見。

五十八

暑假開學不久，九月五日，潘天壽先生紀念館在其故居開幕。杭州西泠印社内有吴昌碩紀念館，棲霞嶺有黃賓虹紀念館，這是杭州第三個紀念館。三位大師，標誌着浙江國畫水平的三個高峰。高峰的出現，先要有廣泛的群衆基礎，在此基礎上冒出頂尖。基礎愈廣闊深厚，頂尖也愈高聳特出，反過來又帶動一批人，增植群衆基礎。浙江美術學院自黃賓虹、潘天壽以來，有深厚的國畫傳統，怎樣繼承和發揚這個傳統，這個責任落在我們後來人的肩上。我們不能躺在前人的傳統上面，無所作爲，只有不斷前進，發揚光大，纔是最好的繼承。這副擔子不輕，我們每個人必須竭盡全力，作出貢獻。

一九八五年寫李白詩意圖

我代表浙江省，畫了一幅山水畫贈送美國新澤西州，作爲友好往來的禮品，由省長李豐平赴美親自贈送，這在電視上有較長時間的播送。後來美國新澤西州代表團來杭州，到西湖藝苑要買我的畫。我的畫不足道，但由此可以看到文化必須交流，纔能得到相互的了解，我們以前對此工作做得太少，外國人不了解中國畫，他們好壞不懂，真僞難辨，不太能欣賞中國畫，以致在價格上和西畫相去懸殊，無形中貶低了中國畫的地位。以後必須在此一點上多做工作，主要通過交流，增加了解，擴大影響，讓東方藝術之花，開遍全世界。

五十九

爲了參加中國畫研究的成立，我於國慶前夕去北京。四方名畫家都來了，濟濟一堂，熱鬧非凡。假北京飯店大廳開大會，中央有三位副總理到場。谷牧副總理講了話，大意要大家團結一致，把國畫研究院搞起來。李可染任院長，蔡若虹、葉淺予、黃胄任副院長。委派二十六名院委，我亦代表浙江，忝爲院委之一。翌日筆會，乘興作畫，大家興會淋漓，各盡所長，我亦參與其內畫了幾幅合作畫。國畫研究院之能否辦好，關鍵在於團結。研究院是國畫研究最高機構，諸公慘淡經營，加之中央領導支持，打破重重阻力，得來不易，我以一個國畫工作者的立場，極盼由成立而鞏固，進而發揚光大，在國畫事業上作出貢獻，以無愧這個名稱。會後有六、七位非北京畫家到釣魚臺賓館休息並作畫。其間我到故宮看古畫，大部分是去年見過的幾幅宋元畫。雖是熟面孔，但不厭重復再見。我是從不放過看古畫名跡的機會，覺得看一次有一次的長進，温故知新，不厭其多。我在上海也常去博物館，觀看古畫，但每次去，很難得碰到相識的青年人也在看，於此可見一些青年人對古畫不感興趣，没有充分利用這個好條件。在解放以前，哪裏有買了一張門票，就可以盡情觀看宋元明清畫，今天看不足，明天可以繼續看的好事？所以有青年畫家來上海，我必介紹他們到上海博物館去看畫。

六十

八一年我自揆年事日高，腰脚日退，而海内名山，可資描繪者至多，而今老大，更欲上躋危巖，恣情眺覽，已不可能。顧後之視今，亦猶今之視昔。再更數年，欲如今日之舟車奔馳，豈可得乎？一個山水畫工作者，長年不出，閉户冥索，而欲老年變法，創立面目，終屬虚語。及今未甚耄老，當抓緊時間不放過一切機會，故在此一二年中，我西去關陝，東浮滄海，南踰嶺橋，北及幽燕，勞薪卒卒，萬里往來，略記行蹤如後。十二月中旬，乘飛機去廣州，及至下旬，劉旦宅夫婦也來廣州，同住南湖賓館。該賓館距廣州市區十公里左右，一水環山，堂宇新建，平臺近及水面，地極幽静。時謝稚柳、陳佩秋夫婦、許麟廬、陳大羽、秦嶺雲、周懷民等同住，頗不寂寞。當時朱屺瞻、應野平、錢君匋等人亦聯袂南來，住東方賓館，時或集會，得相聚首。八一年爲廣東近年邀請畫家最多的一年，故極難得。我們即在廣州白雲賓館度過春節。傳聞廣東花會，盛極一時，至則竹棚席舍，連接里許，攤户林立，花木闐堙，遊人雜沓，肩摩踵接，路爲之塞。廣東人民皆有花癖，及至春節，家家養花，瓶插盆栽，皆取給花市。實則花市之上，並無名種，皆自順德、番禺、諸郊縣運來，桃花一枝，含苞未放，高與人齊，榦如臂粗，索價五十元；金橘一株，結實數十枚，價亦十元以上，花農皆得厚利，故致殷富。又鄰近港澳，舟車易達，一日可以往返，簽訂合同，日致蔬果禽魚，獲利益溥，故非他處可比。

二月下旬，我遷住珠島賓館。賓館位於珠江濱小島之上，故又名小島賓館。碧水迴環，有橋可通，徑道平坦，堂宇整潔，棕櫚成列，繁蔭如障，紅棉一樹，花開如火，我與劉旦宅夫婦食息於斯近兩個月。香港霍麗娜小姐爲老友彭襲明之高足，於香港相識，知我來廣州，特來相見。其老家在番禺，因招待我和劉旦宅夫婦去番禺作客，賓館新建，有亭榭之勝。嗣後又約往中山温泉賓館作客，新建賓館，範圍宏廣，環境明潔，港澳來遊者雲集。又偕遊翠亨村，瞻仰中山先生故居，見其少時遊釣學習之所，想見一代偉人，不勝仰止。

在廣東期間，曾至肇慶星湖，諸峰羅列，猶如桂林，而環水長堤，花明柳暗，則類西湖，故論者謂兼兩者之勝。住波海樓，宿雨初晴，新綠宜人，主人囑書留念，強辭不獲，勉爲一絶：

長堤花草映清流，春色全歸波海樓；
最是遊人看不足，星湖湖外雨初收。

食文慶鯉魚，平生所未嘗。據聞此魚食荸薺長大，長七、八寸，無大小參差，肉殊鮮嫩，入口而化，産量不多，只限一處，秋冬之間，捕撈僅數次，以饋港客。此日適值捕撈，可謂口福不淺。

繼至鼎湖，山中古木成林，一片原始森林，周圍數十里間，枝柯轇結，葱蘢鬱茂，無有空間，這在人中稠密地區的附近，極爲難得，爲今重點保護區。慶雲寺掩映林木之間，殿宇宏敞，階前山茶一株，枝榦奇古，數百年物也。又有瀑布一懸，迂道

荷花

不及往。

肇慶市有端硯廠，遂往參觀，陳列室中成品甚多，式樣不一，雖各具異態，而刻工未能盡美。廠領導囑留字爲念，遂書一紙，臨行贈我端硯一方。

又至南海縣西樵山，山不甚高，聞上有水眼，故瀑流甚大。房屋如蜂衙，曲折而上，幽邃可喜。縣長乞詩，遂書以留念：

自到西樵合有詩，山光塔影兩相宜；亭臺曲折緣雲上，逕路盤迂引步遲。不信頂容千斛水，長教樹發萬年枝；更言六月清涼地，重到殷勤訂後期。

縣長言此地六月涼爽，殷勤訂約要我暑期重來，情殊可感。歸途順道參觀石灣窑廠和祖廟。

從化以温泉著稱，遂往就浴。又有高瀑一懸，可資觀覽。

廣州自十一月至一月間，室内室外，温暖如一，匪若北地室内暄燠，出門則凜冽難忍，故避寒者群至，但至二月下旬，氣候轉變，日日陰霾寒冷，至三月更甚，加之空氣潮濕，墻壁皆『流汗』，當地人於此時皆緊閉窗户，以防濕氣入侵，故殊不適。一九八二年三月底遂乘火車回杭州，車行英德一帶，鐵路循北江而行，憑窗眺望，山重水轉，目不暇接。可惜昏黑時經過韶關，不見金鷄嶺之雄姿，引爲憾事。

六十一

四月中我在杭州，將前在香港所得日本精印畫册，計《宋畫精華》三大册、以及《故宫名畫三百種》全套，捐贈浙江美院國畫系。此皆印刷精良，可下真跡一等者，内多宋元劇跡，爲外間所罕見。遑論宋、元精華諸册，爲他處所無，即如《故宫名畫三百種》學校圖書館雖有一部，但不輕易出借，要借須由系的名義，約日歸還，教學爲之極感不便。我今將此三種畫册贈給院内國畫系，供學生閲覽，其中《故宫名畫三百種》我主張逐頁拆散，可便臨摹。學畫以提高識見爲第一，不見佳作，不知高的標準，何來提高？我視學校如家，故盡其綿薄，爲學生水平的提高創造條件，雖極微小，但我衷心希望國畫日益發展、繁榮，下一代要勝過上一代。我能够做到的事，應該盡力去做。此舉得到了學校的嘉奬。

六十二

五月中回至上海，接西安市美協和陝西省國畫院的邀請，乘飛機前往西安，住人民大厦。遊覽了西安市内古蹟，如大、小雁塔，華清池、秦俑坑、半坡村、碑林等處。又遊漢唐諸陵，如茂陵、乾陵等。北至黄陵，觀古柏，一路阡陌縱横，古蹟林立，想到遠祖先民，辛勤勞動，開闢山林，遺留後世燦爛文化，我作爲炎黄子孫，更增進了對祖國的熱愛。又東至禹門口觀黄河之洶湧浩瀚。旋謁司馬遷祠堂，歸又至少陵塬，謁杜甫祠。兩公詩文，對民族文化藝術貢獻極大，皆平生所酷嗜，歸後我聯合寫成一卷，以自覽觀，而寄敬慕之情。此行也，得見黄土高原之結構面貌，作爲此卷背景，前所未備，可算是創立新法。又值得一提者，秦嶺山脉的雄偉高大，范華原之所自出，而又不勞登陟，循入川公路向南行，不必下車，即可恣覽飽觀。其入山孔道約有四、五處，以豐峪口爲最勝，巉巖峭壁，上接雲漢，高華重實，覺東南諸山，皆出其下，陝西國畫院院長方濟衆同志爲東道主，他是漢中人，約我作漢中之遊。少讀杜陵入蜀諸詩，甚欲躡其故跡，一往遊之。歸途乘火車過華山，遥望雲峰，思慮萬千，終以老邁，腰脚不濟，望巖而興嘆。歸後在上海晤謝稚柳，備述勝概，他於秋季往遊，歸後語予曰，秦嶺風光，前所未見，信推首屈一指，當之可以無愧。

陸儼少八十年代遊紹興東湖

六十三

甫到杭州，寧波工藝美術研究所派我學生金林觀來迎接我去寧波作藝術交流。後至天童、育王兩寺遊覽，渡海至普陀。前後五日，暢遊諸寺，以潮音洞最爲奇偉，亂石峻嶒，伸入海內，兩崖並峙，穹然中空，潮水湧進，回蕩撞擊，訇然作響，令人目眩心悸。又至溪口，登妙高臺，觀千丈巖瀑布。上隱潭在其下，而水勢亦可觀，至寧海浴於南溪温泉，而於冠莊訪潘天壽先生故居，於其屋旁，瞻仰久之。潘先生之姪媳引入室內，稍坐而去。

回至上海度夏，作畫準備個展。又上海人民美術出版社計劃出版我大型畫册，收集早、中晚三期作品，於其發展過程中，可覘我寫字作畫源委，上海書畫出版社也定下出我課徒山水畫稿並催促寫出自傳，以上三者，我即着手作準備。

十月中，浙江美協在京舉行浙江中國畫展，要我前去北京，參加開幕式。在京住了一個星期，中間到故宮看古畫，即回上海，參加上海畫院經辦的金山賓館的佈置畫創作，我分配到一幅大型佈置畫，計共三十平方公尺，這是我第二次畫這樣的大畫。我滿懷激情畫了一幅《雁蕩泉石圖》，從中提到了一次很好的鍛煉，以後畫大型佈置畫將更有把握。

十一月初，我至杭州，應青田園林局之邀，前去遊石門洞、太鶴山，旋至麗水，往遊僊都，觀天柱峰之勝。皆爲其題名書匾，間亦作詩記遊。繼至温州，遊南雁蕩。舊聞南雁蕩名，向往之情久矣，至是得酬夙願。以前聽人介紹，看些照片，如墜五里霧中，多方懸揣，未得要領。及至其處，雖僅盤桓半日，而山之典型脉絡、環境神氣、名勝位置、道路去向，了如指掌。故知作畫寫景，必須親歷，經過實踐，有得於中，而後落筆膽大，更無疑慮。因賦五古一首以記事：

茲山山石秀，岌嶪各異態；層疊相負上，似欲塞兩戒。巖竇疑人爲，逕路穿自內；松檜翳其下，因風發虛籟。前詫北雁奇，而今知非最。天設兩雁蕩，特立南天外；各自擅勝場，無愧可相對。勝遊未可秘，歸將語儕輩。賦詩恨不盡，兼欲施諸繪。後有來遊者，知予非私愛。

在温州爲工藝美術者示範作畫。遊江心寺，驅車至樂清

一九八八年爲學生沈明權作

縣，重遊北雁蕩。大龍湫未能重到，顯勝門亦以汽車不能直達，相距不及十里處，而我行路所急，廢然而反，每於斯時，始嘆老之已至，不獲從少年之遊履，心有餘而力不足，引以爲恨事。

我於一九六三年第一次遊雁蕩，此是第二次，相隔二十年，山中變化不能說很多。走過響嶺頭，一直到鐵城嶂，展現眼前的峰巒，堅實高大，巖巖不可犯，迭相雄峙，氣象萬千，雖是第二次相見，還是有很大的魅力，緊緊地抓住人，使我再次感到祖國的偉大，山川的可愛。一個山水畫家，就是要把她描繪下來，但是首先自己要有激情，然後纔能够感動別人，美化人們的心靈。我每到名山大川中去，看到高高的峰巒，長流不斷的瀑布，蒼松古柏的夭矯盤挐、挺然而立，這些美景，使我激動不已，彷彿心都要跳出來，與之相擁抱。今又到雁蕩，就是有這個感受，我愛雁蕩，更愛祖國，我要揮動我的畫筆，仔細地將其描繪下來，給祖國人民，以及世界上千千萬萬的人民。我在雁蕩賦詩四首以留念：

其一

重到名山記昔遊，廿年如夢劇沉浮。鐵城嶂下梅花石，猶帶斜陽一樹秋。

其二

合掌高峰仰面看，流雲馭氣接天寒；石開洞壑巖懸瀑，信是東南第一山。

其三

靈峰遊後更靈巖，尚見當年夾道杉。我與龍湫舊相識，臨流青竹不曾芟。

其四

青山疊疊埋忠骨，萬古英名不可攀。好與比鄰三折瀑，長流恩澤在人間。

世人多重黃山，故黃山畫派，大行於世。我獨愛雁蕩，認爲遠較黃山入畫，它的雄奇樸茂，大巧若拙，厚重而高峙，似醜而實秀，爲他山所無。故我多畫雁蕩，一以山之氣質與我性格相近，二以不欲與人雷同，可以多所創意。因之此二十年來，我多寫雁蕩風貌，大小幾至數十百幅，而黃山則十不及一。畫山當得其精神面貌，所謂典型是也。得其典型，雖不能指名爲何峰何水，而典型具在，不可移易，使人一望而知爲雁蕩，這是最難。我反對到東到西，不管何山何水，只是一種筆法，即使形體相象，可以指名何處，而典型不具，也屬枉然。世上千山萬水各具異態，不相雷同，所以我們每到一處，應有一種與之相適合的筆法，要創出一個新的面目，否則空往徒勞，入寶山而無所得，實爲可惜。

由雁蕩乘車至天台，宿天台寺。得詩以寄意：

烏桕丹楓一樣紅，車行數轉路西東；
不知何處隋朝寺，梵唄聲隨落葉風。

連朝勞頓，又攖風寒，至天台寺中而病發，卧床二日，延醫診治，錯過看石梁飛瀑的機會，雖在三十餘年前去過，重遊不果，終感遺憾。翌日晨，病少瘳，即回杭州。

我生平對於山水，只要有利於學習，無不悉力以赴。此行逗留七個縣，前後共二十天，略盡浙南、浙東之勝。回想旅途所經，真所謂山陰道上，千巖競秀，萬壑争流，一片旖旎風光，誠非親歷者所能領略其勝概。長途旅行，每每在車上持續六、七個小時，同車多有瞌睡者，我總是打起精神貪婪地眺望窗外，找尋好山好水，從不放過。我這樣到大自然中去，就是下生活，回來創作，把看到的山水，寫入畫面。我的方法，主要靠默記，不去强調山容水態的完全逼真，一般只要記住它的來龍去脉，迴環曲折，中間銜接勾搭，交待清楚就够了。爲了幫助默記，在現場也不妨用鉛筆勾稿，但必須認真仔細，不放過每一個細部，因爲勾過一遍，心中有印象，可抓住規律。回來之後，把勾稿放在一邊，不再依靠它來進行創作，這樣就不受勾稿的限制。如果勾稿馬虎草率，不找尋對象的規律，回來依樣描畫，束縛了手脚，一定意境不高，得益不大。所以我下生活，大都採取默記的方法，這樣仔細地觀察，收效較好。至於有些時候，需要坐下來，慢慢地磨墨蘸水，對景寫生，那是另一個目的。當看到一塊石壁、一叢樹，或者一個坡面，小至一個樹根、一個節疤、一棵樹榦的皺紋，以前没有畫過，或者没有畫好，怎樣去表現它，没有經驗，這單靠默記是不够的，爲此目的，必須坐下來對景寫生，從而不斷改進。

以上勾稿和對寫兩個方法，各有不同的目的：前一個方法，是記録山川形勢，以利構圖；後一個方法，是找尋新方法來表現對象，以利創新。但不管怎樣，在下生活之前，要有一定的基本功，這是前人實踐經驗的積累，有此基本功，進而不斷探索，纔能創造出新面目。否則即使有好的設想，也不能表達出來，所以傳統的基本功和創新絶對不相矛盾，而是相輔相成的。

六十四

當年冬天，我回上海，住進和平飯店，爲飯店創作巨幅佈置畫《迎客松》，以及《南雁蕩》等。又爲人民大會堂上海廳創

陸儼少先生教學生沈明權畫手卷

作《雁蕩泉石》，以及爲西大廳創作山水和梅花兩巨幅佈置畫。以其餘暇，又創作丈六大幅《三峽》和丈二大幅《南雁蕩》、《北雁蕩》，用爲自己個展之用。在此時期，我前後畫過多幅大型畫，積累了些經驗。畫大幅畫和小幅要求有所不同：大畫掛在大建築內，必須遠看，第一要有氣勢，看整個畫面，所以構圖最爲重要，用筆要壯健，設色宜明亮，虛實相生，突出主題；同時，也要顧到四周環境，與之相統一。目今大會堂、大飯店，以及交通樞紐，人群集中之地，均需要大型佈置畫，而這些畫尤以山水畫爲宜，所以畫時必須注意這些方面。

六十五

一九八三年五月中應深圳發展公司的邀請，我偕同燕因、亨兒前去深圳。纔別一年，氣象迥異，故我有『曾經蔓草荒煙地，多少樓臺一望中』之嘆。參觀了依山傍水、利用天然形勢曲折有致的西麗水庫度假村。及正在營建、略具規模的香蜜湖度假村，我爲發展公司和香蜜湖各畫佈置畫一幅。

此時六屆全國人大會即將在北京召開，我不自意，當選爲全國人大代表。於是遄返杭州，六月初自杭州出發，乘飛機到北京。大會六日開幕，自揆才德未至，膺此重任，感到莫大榮幸。開會期間，大會分小組討論國家大事，選舉國家最高領導人，我心情激動，莫可名狀，有心更好地爲社會主義祖國服務。

我更要謙虛謹慎，刻苦學習，敏求神會，盡一己之綿力，庶無愧黨和人民對我的信任和給我的榮譽。

六月底回到杭州，學校配給我教授樓一套，寬敞舒適，此皆人民所賜予，益思所以報答之者。暑假中返抵上海，八月中應嘉定故鄉父老之邀，前去嘉定，觴於新建凌雲樓，是日大雨，即席賦詩曰：

故鄉重到隔年期，又見高樓卓酒旗。
對景君看非舊日，凌雲我欲賦新詩。
崇朝霪雨晚晴好，向夕斜陽幽草宜。
餘熱猶堪驅使在，及令筋力未全衰。

予違嘉定三十年，蒙故鄉父老厚愛見招，並期歲一再至。去夏曾到，杯酒話舊，不覺盡歡。今又重來，建設日進，又改舊貌，凌雲樓此其一也。登樓四眺，霪雨乍霽，晚晴獨好，郊原緑浄，民生樂事，觀感所及，因賦並書。

我近健康有所好轉，熟識者咸謂兩頰加胖，氣色紅潤，大非昔比，因此想趁此條件，不斷努力，而至耄老，以期更進一步開創面目。

八月中接到北京中國畫研究院來信，謂國務院中南海紫光閣有一批佈置畫要我參加創作。這是一件光榮的政治任務，我遂於八月底前去北京。這次要畫一幅七米長、二米高的大型佈置畫，以前我有一些創作大畫的經驗，所以比較順手，旬日之內，畫成巨幅《層巒疊翠》青緑山水畫。人家説我畫得快，效果也好。但我自己總覺工作做得很不够，當竭其餘熱，爲人民多做工作，做好工作。

六十六

八三年九月在北京，於香山飯店看到趙無極水墨畫屏。回到上海又看到趙無極大型畫册，以及讀到在香港《美術家》雜誌上發表的郁風所撰《趙無極——在東西方之間》一文。可惜我没有看到他在杭州的個展，未能觀摩他的原作。而此大型畫册，引起我的興趣。我一向主張畫應在似與不似之間，即具象和抽象應該有機地結合。如果抽去抽象部份，走具象的極端，當然不好；但如果抽去具象部份，使覽者看不出所畫爲何物，也不是正確的創作方法。趙無極的畫，看不出所畫爲何物，所以完全是抽象的。我認爲這絶對不是我們的方向，但我們也不應該一概排斥，如果其中可以得到一些啓發，還是值得拿過來，爲我所用。例如他的設色調子，可供借鑒，次之他的構圖虚實相生，有大空白，不同於其他西洋畫的構圖。加之他的意境、情調，也有接近東方的地方。郁文所謂『在東西方之間』，我想就是指的這些。也即是和中國的山水畫，有些相通之處。趙無極是由西方走向東方，也就是在西洋畫的立場上，吸收一些中國畫的東西。我們應該在中國畫的立場上，適當地吸收一些西洋畫的東西，但决不能捨本就末，或本末倒置。東西方繪畫是有相通之處的，例如趙畫有動勢，我也主張要有流動感，在這點上也可説是並行不悖的。

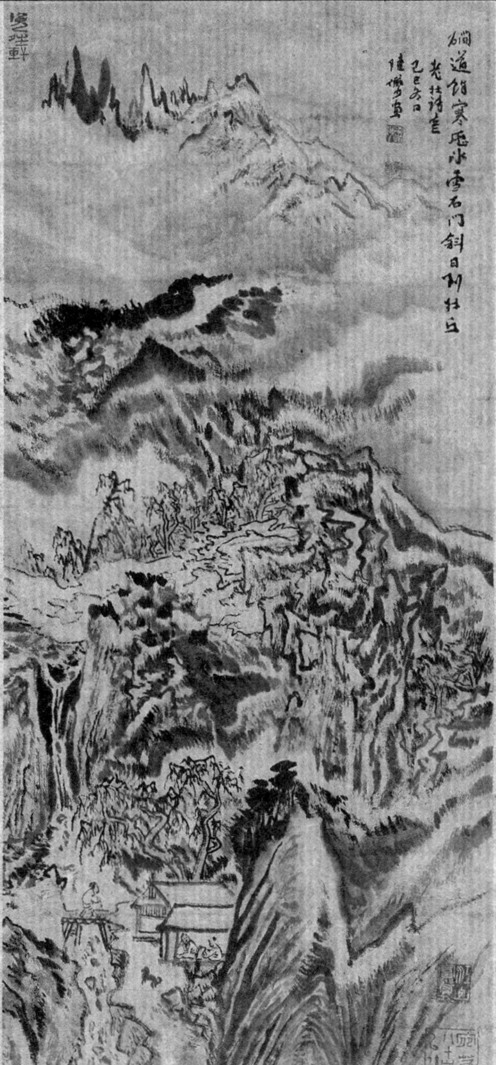

一九八九年寫杜甫詩意圖

十一月，應福建泉州華僑大學之邀，前往講學。節届初冬，杭州已有寒意，而在泉州，暄暖如春，初意閩中可以避寒，在泉州住十日，遂至福州，而寒潮驟至，冷氣入侵，幾不能耐，當地人亦謂數十年所未有。適北京國防科委屬畫佈置畫，乃至厦門，稍事遊覽，轉至北京，住遠望樓。

六十七

一九八四年三月中回至杭州，五月中全國人大開會，其時浙江美院開辦中國繪畫學習班，有美國人士近三十名來學，大部分有繪畫基礎，不少人且在美術教育崗位上工作，故年歲不齊，年輕者二十餘歲，而年老者有至六十餘者。當時在美國招生時，以我爲主導老師，所以開學時不能遠離，只有向人大請假，不去北京。所有學員，皆對中國繪畫有濃厚興趣，故學習認真，兩個月後，結業展出，成績斐然。總結此期學習班，可以加深相互了解，而對文化交流，起到積極作用。以後似可繼續開辦，當然還須在實踐中總結經驗，不斷改進。

七月下旬，臺灣籍畫家劉國松來杭州舉行個展，主要是山水畫，我忝爲浙江山水畫研究會會長，應盡東道之誼。他在南京個展時，劉海粟爲之題詩，今來杭州，當有對等的接待，浙江美協要我題詩，勉成一律：

混同有日知非晚，遊子回歸報好音。
海峽春風吹兩岸，畫屏彩筆重千金。
丹青所貴標新意，顧陸從來共此心。
變法早懷今白首，我將君處恣追尋。

劉國松繪畫展出，有些人不能接受，但我認爲他能鋭意革新，獨闢蹊徑，是有積極意義的，所以不能一筆抹煞。我認爲當取其意，而不必學其跡。如果依靠筆墨運用，能够達到象劉國松那樣的抽象效果，那末畫中點綫，出之於指腕，是作者性靈的直接反映，則遠非水拓乾擦等特技所能及。所以第一步要承認劉國松的抽象效果，第二步將何以運用筆墨達到同樣或相等的效果，但是做到這一點是極不容易的，我於此得到啓發，所以詩中說我將恣意追尋，絶非酬應之談。

當年初在福州時，約定今夏與劉旦宅在福州舉行聯展。

八月下旬，去福州，畫展開幕。翌晨即去武夷，住山中半月，暢遊九曲之勝，上登天遊，磴道依石壁而上，極爲險峻。近望接笋峰，壁立千仞，徑路斗絶，石級幾不容足，奇險恐不在華嶽之下。我常恨武夷不入畫，自登天遊，奇石嵌空，危峰回合，盡多粉本，而向之觀看電視，參閱照片，皆不足據。在武夷日，爲福州海山賓館畫丈二佈置畫一幅。

九月中旬，我將平生早年、中年、近年有代表性作品十四幅獻出，上海博物館舉行了隆重的授獎儀式。我以作品能入藏於國家博物館引爲殊榮。旋即應四川省文物處邀請，前去成都，遊覽了杜甫草堂、武侯祠、王建墓等名勝古蹟。繼至灌縣，觀都江堰水利工程。上青城山，於天師洞宿二宵。北至新都，遊寶光寺。當地文化館陳列出土漢畫像磚，可以覘見漢代造型水平，令人向往。再北至綿陽，宿。明發至江油，參觀李太白祠堂。迂道經梓潼，登七曲山，參觀大廟，猶存明代木結構建築，於古驛道處，老柏成行，連綿不斷，所謂翠雲廊者是也。再北經劍閣而至劍門關，山勢迴抱，石角皆北向，關門如崇墉積鐵，雄姿特勝。於廣元觀千佛崖，皇澤寺，上溯嘉陵江上游，至清風、明月兩峽，古棧道遺蹟尚存。此唐李思訓、吴道子於大同殿壁畫嘉陵江三百里山水處也，今公路鑿壁附山而過，覽今杯古，爲之徘徊久之。

我於一九四六年抗戰勝利後，乘木筏東歸，中經三峽，得諳水勢，故歷年以來，多作三峽險水圖，此亦可說我在山水畫創作上的一個轉折點。此次來四川，主要拍攝《上海中國畫》，要我以三峽爲背景，準備歸途在奉節、巫山上溯大銀河，取景小三峽。而在成都，氣壓低，終日霧氣濛濛，我極不適應，以致肺氣不順，咳嗽不止。據小三峽回來者說：峽中風大，於今天氣日冷，非我體力所能支，不宜冒險從事。我遂電告上海科教電影廠，其攝製人員如未動身，可勿前來。即日我遂乘火車去重慶，轉船經三峽，葛洲壩船閘而東下武漢、上海。四川是我舊遊之地，此次到過一些新地方，開了眼界，所遺憾者，未能重到樂山峨眉以及大足等地，而南北奔馳，疲於道路，有感於老之已至。到家以後稍事休息，病體即獲平復。我有自信，一俟春暖花開，健康日進，餘熱尚堪使用，絶不應該服老。

九月下旬，接到杭州來信，謂日前省委宣傳部有文下達學校，批准浙江畫院班子人選，我被任命爲浙江畫院院長云云。自揆才德未至，而膺此榮任，恐有負付託之重，深滋慚惶。浙江自宋元以下，畫家輩出，有聲於時，畫院之設立，必能提高國畫創作水平，培養一批繪畫理論作者，爲四化服務。

六十八

最近臺灣出版的《雄獅美術》一九八四年第四期，重點介紹我説：

『中國繪畫發展至今時，很明顯地看到有兩種趨勢，一是走傳統路綫的，一是走新派作風的，這兩路畫家，似乎互相對峙，各不通融。走傳統的經常罵走新派者為旁門左道，作品毫無可取。而走新派者却當斷譏諷走傳統者為老古董，作品墨守成規。

然而有一位畫家的作品，却引起了大家的注意。他的繪畫既包涵着濃厚的傳統精神，又具有使人耳目一新的抽象意味。傳統畫家們認為他是位承先啓後的巨匠，而新派畫家亦贊譽他為膽色過人，深具創見的現代畫家。這位左右逢源的畫家究竟是何方神聖呢？他就是近年來頗受藝壇矚目的人物——陸儼少。

走傳統路綫的人喜歡他的畫，原因是他保留了許多中國繪畫所特有的傳統精髓於創作中，他曾深入地去鑽研前人的創作技巧與心得，又融會貫通地把它發揮得淋漓盡致，簡單地説他是位能入能出的畫家。他的筆墨功夫，實際是將宋元之法集中一身，他學宋人以取其法度，而歸宿於元人以盡其變。

搞新派作風的人對陸儼少的繪畫也大感興趣，原因是被他的畫幅中所具的「抽象意味」吸引着，説實在有些作品，如果不加上房子與點景人物，根本就看不出究竟是何物，與趙無極的繪畫一樣，抽象得很。從大處去看陸儼少的畫，首先看到許多的白面塊與白條子，又看到了許多黑面塊，這些黑白對比，互相交織成一幅幅奇特的景象，使整幅畫充滿了「動蕩之勢」，在其藝術創作中，的確創立了前人没有過的新技法，而且又能呈現出新的時代精神。』

我覺得上面的介紹，未免有些稱譽過份，是不敢當的。但是也寫出了我的心願，這半個世紀來，我就是孜孜兀兀朝這個方向追求探索而前進的，以做到來自傳統而又無悖於創新。中間也曾想摒棄舊習，徹底改變面目，有人説這樣是步子跨得太大了，我自己也感到生搬强扭不是自然的變，所以也不能肯定是正確的辦法，這樣走過去又回過來，徬徨不定，苦悶萬端。變法是第一義的，不過也不能空想冥索，一夜之間，突然變異。必須培養情操，加之深入生活，有新的意境，從而生發出新的技法，當然也不妨吸收外來的東西，這個變纔是有源有委，而

在家中作畫

不是從空而降。

我今年七十六歲，方諸黄賓虹先生，還可再創作二十年。我不能滿足過去，總想老年變法，爲適應時代要求，要繼續有大變。我深信只有根植在祖國的土壤上，我的藝術生命纔能獲得無限生機。

浙江畫院紀念陸儼少先生仙逝十周年暨陸儼少先生遺作展
左起：陸亨、沈明權、陳家泠、黄琪爾、車鵬飛、唐方一

後記

攀登藝術高峰是充滿坎坷的，更没有取巧之路可行。陸儼少先生在他七十年的丹青生涯中，更是孜孜不倦，勇於探索和永不滿足。其成就舉世周知，立於古今山水畫大家之列而毫不遜色。

當今畫壇能入時入眼者，並非都是佳作，有盛名者，並非皆爲大家。更有目不辨五彩之色，手不知如何握管者，大肆喧嘵中國畫已没落，蠱惑了部分不辨方向的初學者，故此『拓、擦、磨、印、冲、説』，凡此種種，不擇手段，僥幸於一得之風盛行，將中國畫以筆墨達情的藝術方式變之爲作坊式的工藝流程。貽誤了一代人的才志，影響了中國畫的發展。

縱觀古今中外，藝有大成者，唯一的道路是『誠實』與『悟』。

陸儼少先生一生從藝，總結了前人的經驗，並在此基礎之上發展和創造了前人所無的技法與畫論。今將陸老此書整理並付於再版以饗廣大美術愛好者，爲莘莘學子起航燈之用。

二〇〇二年五月陸亶、沈明權

陸儼少年譜

一九〇九年（一歲）
六月六日（陰歷五月九日）生於江蘇省（今爲上海市）嘉定縣南翔鎮，父親陸韵伯繼承祖業開設米店，母親朱璇。小名『姬』，字，『儼妙』，號『宛若』。

一九一四年（六歲）
改名『驥』，字『儼少』，後以『儼少』爲常用。未識字即喜畫畫。

一九一五年（七歲）
取學名爲『同祖』，入嘉定縣第四國民小學讀書。

一九二〇年（十二歲）
入縣立第二高等小學，未半年入翔公小學讀書。與表妹朱燕因訂婚。

一九二一年（十三歲）
得石印本《芥子園畫傳》遂如饑如渴地臨學。

一九二二年（十四歲）
高小畢業，入上海澄衷中學讀書，課餘參加繪畫、書法、篆刻等課外組織。由高曉山老師教習中國畫。同時研習古典文學。

一九二四年（十六歲）
學《論語》、《漢書·藝文誌》，考試得獎品《畏盧文集》、《畏盧文集續集》。

一九二六年（十八歲）

中學畢業，進入無錫美專，專習中國畫，未半年即輟學，與蘇州王同愈訂忘年交。

一九二七年（十九歲）

由王同愈介紹，拜上海馮超然先生爲師。馮師第一句告誡『學畫不可名利心太重，要有殉道精神，終身以之』。臨戴醇士手卷。

一九二八年（二十歲）

臨王東莊册頁，馮師大加贊賞，謂可亂真。

一九二九年（二十一歲）

與朱燕因結婚。每半個月去上海馮師處請益。

一九三〇年（二十二歲）

在家自修。讀書、寫字、畫畫三者齊進。

一九三一年（二十三歲）

常與燕因同至岳母家住。

一九三二年（二十四歲）

淞滬抗日戰争爆發，義憤填膺，吟詩泄憤，但畢竟書生無補。隨父母暫避上海租界，路上感受風寒，咳嗽不止，種下氣喘病根。

一九三三年（二十五歲）

父親卒

一九三四年（二十六歲）

經友人金守言介紹，得母親同意，在浙江武康上柏山買地經營農場。此時蘇州費新我也來買地，隔澗爲鄰。遊天目山、黄山。經徐州、曲阜、濟南以至北平，住一個月。歷覽長城、故宫等。再去大同訪雲岡石窟，上妙峰山覽太行山色，經天津、烟臺而歸。

一九三五年（二十七歲）

去南京參觀第二届全國美展，飽覽故宫藏品。始作《梅花圖》。發枝取陳老蓮，圈花取石濤，自創面目。書法初學魏碑，繼臨《蘭亭》、宋四家，後學楊凝式。

一九三六年（二十八歲）

上柏山中新居落成。

一九三七年（二十九歲）

奉老母率妻子入上柏山中，植梨千樹、竹萬竿，有學陶淵明之誌，《七七事變》爲避兵禍，率全家於宜昌戤屋而居，不十日再西行。

一九三八年（三十歲）

至重慶。初就任第二十兵工廠秘書室，後至營繕科，最後去所屬農場任事務員之職。作畫至百件，在重慶兩路口舉行個展。認識沈鈞儒、陳樹人、陳之佛、常任俠、黄君璧、豐子愷等。

去成都舉行畫展。

一九三九年（三十一歲）

遊青城山峨眉山等地。認識了彭襲明、王星產、朱光潛、馬一浮。得朱光潛好評。

一九四〇年（三十二歲）

爲兵工廠撰書遷建落成碑記。

一九四一年（三十三歲）

遊馬家店，白雲在山、青林紅樹，宛然黄子久《秋山圖》，大呼我師乎。

一九四二年（三十四歲）

書法變异，成爲似隸非隸，不同於金冬心漆書。山東王獻唐先生極稱之。然馮超然先生斥爲『天書』不好認識，後厭之。

一九四三年（三十五歲）

畫《瑞雪啓春圖》爲母親七十壽。

一九四四年（三十六歲）

王同愈卒，年八十七歲。畫《洛神圖》、《蜀中留痕册》贈程景溪。

一九四五年（三十七歲）

抗戰勝利，東歸無日。

一九四六（三十八歲）

二月全家搭乘木筏自重慶出發經歷三峽，冲冒險水，出入盜匪窟穴，歷時一月餘。於木筏上終日看山觀水，並記在心，日後聞名於世的峽江險水皆出於此。

一九四七年（三十九歲）

秋天，在無錫舉辦個人畫展。
一九四八年（四十歲）
在南翔東市創辦圭白農場。
一九四九年（四十一歲）
遊新昌大佛寺，觀天台石梁飛瀑。嘉定解放。
一九五〇年（四十二歲）
畫《杜陵詩意畫卷》後附五律六首，得馮老師贊賞。母卒。
一九五一年（四十二歲）
遷往上海，參加連環畫學習班。
一九五二年（四十四歲）
進私營同康書局任繪圖員，畫《牛虻》連環畫。參加新國

畫研究會。
一九五三年（四十五歲）
上海舉辦解放後第一次大型展覽。作品《雪山勘探》得好評，被美協收購並出版。
一九五四年（四十六歲）
在華東美協會晤黄賓虹。宋文治來學習中國畫。馮超然卒，終年七十三歲。
一九五五年（四十七歲）
率宋文治去拜吴湖帆爲師。
一九五六年（四十八歲）
安徽省文化局來上海特色國畫家去合肥工作，遂約了孔

小瑜、徐子鶴、宋文治同行。畫《杜陵詩意册》二十開贈姚耕雲。

一九五七年（四十九歲）

從安徽回上海。上海中國畫院成立。去浙東四明山下生活。畫《江路乘筏圖卷》。當選爲上海市南市區人民代表。

一九五八年（五十歲）

去閩西寫生，畫革命歷史畫。『反右』開始，在會上説了上海美協不挂中國畫，像外國美協，被錯劃爲右派分子。

一九五九年（五十一歲）

每天到畫院勞動改造。於餘暇畫成《山水畫課徒畫稿》二百幅。畫《杜陵入蜀詩同八開》贈謝稚柳。

一九六一年（五十三歲）

國慶節摘去右派帽子。爲吴湖帆畫《清蘿吟巢圖》青緑山水册頁。

一九六二年（五十四歲）

受浙江美術學院院長潘天壽先生邀請，赴杭州任教大學四年級山水課。畫《人物圖》兩幀，開始畫《杜甫詩意畫册》一百幅。

一九六三年（五十五歲）

肺有病。老友任書博送進口藥『抵白粉』服後即愈，畫《感惠册》報之。

一九六四年（五十六歲）

參加畫院組織的皖南寫生。見山叢林邊緣，日光斜射，顯出一道白光，遂由此創爲留白之法。

一九六五年（五十七歲）

高教部規定，取消兼課制度回上海在青年宮等輔導國畫山水。畫《峽江險水圖卷》、《就新册》。

一九六六年（五十八歲）

『文化大革命』開始，初未受冲擊，畫《毛主席詩意畫》二十四幅。

一九六七年（五十九歲）

因出身問題，開始被批斗。

一九六八年（六十歲）

至『文化大革命』後期，均被批斗，受畫院造反派斥打。

一九七五年（六十七歲）

摘掉地主帽子。去新安江淳安等地寫生，回來後創『留白法』。

一九七六年（六十八歲）

粉碎『四人幫』，『文化大革命』結束。畫《秋日雲開圖》。

一九七七年（六十九歲）

去井岡山寫生認識電影演員趙丹，畫《井岡山五哨口圖》。

一九七八年（七十歲）

畫院宣布一九五八年是錯劃右派。畫成《名山圖》十六幅。

一九七九年（七十一歲）

撤消地主分子的決定。爲周恩來故居畫四尺整紙《梅花》，參加上海書法訪日代表團至東京大阪。爲北京人民大會堂畫《雁蕩山》、《梅花》大幅。爲上海虹橋機場畫大幅《大好河山》圖。任浙江美術學院國畫系山水研究生導師。

一九八〇年（七十二歲）

正式調整任浙江美術學院教授。在上海畫院舉辦展覽，並携至杭州展出，九月赴北京住頤和園藻鑒堂作畫。《山水畫芻議》出版。

一九八一年（七十三歲）

五月去香港舉辦個人畫展，並出版《陸儼少畫集》、《中國名山勝景圖》，上海書畫出版社出版。九月去北京參加中國畫研究院成立並任院委。

一九八二年（七十四歲）

當選爲全國人大代表，爲金山賓館作大幅《雁蕩泉石圖》，爲和平飯店作《南雁蕩》、《迎客松》，爲人民大會堂作《雁蕩泉石圖》，畫丈六《三峽》、丈二《南北雁蕩》大畫。

一九八三年（七十五歲）

爲中南海會議廳畫《層巒疊翠》圖，高三米長九米半大畫。畫《高江急峽圖》、《雪中西湖圖》。

一九八四年（七十六歲）

將早年、中年、近年代表作品十四幅捐獻上海博物館。被任命爲浙江畫院院長。參加在西德舉行之五人畫展。畫《峽坼雲霾圖》、《谷虛雲氣圖》、《杜陵詩意圖》。

一九八五年（七十七歲）

選書《重建黃鶴樓記》刻碑樹立樓前。《山水畫課徒稿》出版。

一九八六年（七十八歲）

《陸儼少自叙》、《怎樣畫雲》、《怎樣畫水》出版。

一九八七年（七十九歲）

應邀去香港中文大學講學。畫《雲山赴集圖卷》，其中人物有一百二十二人。爲其畫人物最多的一卷。上海人民美術出版社出版《陸儼少畫集》。

一九八八年（八十歲）

畫水墨抽象册頁八十幅以賀八十歲壽誕。六月率妻燕因、子亨、亶、學生沈明權等回故鄉嘉定古漪園舉行八十大慶並開個展。

一九八九年（八十一歲）

離杭州去深圳定居，臨行借西泠書畫院舉辦告别展。任西泠印社顧問。在懷柔縣進行創作，補足因『文化大革命』所流失的《杜甫詩意圖》一百幅。十一月赴深圳，病，住醫院。

一九九〇年（八十二歲）

去南海遊西樵山，題『游龍入懷』四個大字，刻於石壁上。有《南陸北李》之稱的李可染先生卒。

一九九一年（八十三歲）

元旦在深圳中國畫廊舉辦回顧展。展畫一百二十幅，盛況空前。故鄉嘉定籌建『陸儼少藝術院』。

一九九二年（八十四歲）

回上海，住延安飯店，病住院。

一九九三年（八十五歲）

病住院。重陽節卒，時年八十五歲。

圖書在版編目(CIP)數據

陸儼少自敘/沈明權編. -杭州:西泠印社,2003.6
ISBN 7-80517-639-6

Ⅰ.陸… Ⅱ.沈… Ⅲ.陸儼少-回憶録
Ⅳ.K825.72

中國版本圖書館 CIP 數據核字(2003)第 052987 號

ISBN 7-80517-639-6

9 787805 176390 >

陸儼少自敘(一函二册)

編者 沈明權
出版 西泠印社
印刷 杭州富陽古籍印刷廠
裝訂 (浙江省富陽市江濱東大道二一號)
版次 二〇〇三年六月第一版第一次印刷
印數 一——一〇〇〇
定價 貳佰陸拾圓

責任編輯 張金鴻

ISBN 7-80517-639-6 / K·004